# MAT ES UN SUPERGATO

1.ª edición: marzo 2015

Dirección de la colección: Olga Escobar

© Del texto: Ana Alonso, 2015
© De las ilustraciones: Antonia Santolaya, 2015
© Grupo Anaya, S. A., Madrid, 2015
Juan Ignacio Luca de Tena, 15. 28027 Madrid
www.anayainfantilyjuvenil.com
www.pizcadesal.es
e-mail: anayainfantilyjuvenil@anaya.es

Diseño de cubierta:
Miguel Ángel Pacheco y Javier Serrano

ISBN: 978-84-678-7126-5
Depósito legal: M. 1450/2015
Impreso en España - Printed in Spain

Las normas ortográficas seguidas son las establecidas por la Real Academia
Española en la *Ortografía de la lengua española*, publicada en 2010.

# MAT ES UN SUPERGATO

Ana Alonso

Ilustraciones de
Antonia Santolaya

ANAYA

LOLA HA QUEDADO CON SU AMIGO
EL GATO MAT EN EL PARQUE.
MAT LA ESTÁ ESPERANDO
AL LADO DEL ESTANQUE.

Lola ha quedado con su amigo
el gato Mat en el parque.
Mat la está esperando
al lado del estanque.

EN CUANTO LOLA LO MIRA,
SE DA CUENTA DE QUE ESTÁ DISTINTO:
SE HA PUESTO UN MONO DORADO
Y UNA CAPA ROJA. Y ADEMÁS,
ESTÁ UN POCO DESPISTADO.

En cuanto Lola lo mira,
se da cuenta de que está distinto:
se ha puesto un mono dorado
y una capa roja. Y además,
está un poco despistado.

—HOLA, MAT, ¿QUÉ TE PASA?
ESTÁS MUY RARO.
—NO SOY MAT. SOY SUPERGATO.
—¿QUÉ? MAT, ERES UN GATO FAMOSO,
PERO NO ERES UN SUPERGATO.

—Hola, Mat, ¿qué te pasa?
Estás muy raro.
—No soy Mat. Soy Supergato.
—¿Qué? Mat, eres un gato famoso,
pero no eres un supergato.

—NO SÉ QUIÉN ES MAT. SOY SUPERGATO.
SOY UN HÉROE. TENGO PODERES.
PUEDO IR POR EL AIRE Y DERROTAR
A LOS MALOS.
—¿ES UN JUEGO?

—No sé quién es Mat. Soy Supergato.
Soy un héroe. Tengo poderes.
Puedo ir por el aire y derrotar
a los malos.
—¿Es un juego?

—NO, NO ES UN JUEGO, ES REAL.
SOY SUPERGATO, Y MIS PEORES
ENEMIGOS SON LOS PERROS MALOS.
—¡AY, MAT! HAS PERDIDO LA MEMORIA...
—¡YO NO SOY MAT! ¿Y TÚ, QUIÉN ERES?

—No, no es un juego, es real.
Soy Supergato, y mis peores
enemigos son los perros malos.
—¡Ay, Mat! Has perdido la memoria...
—¡Yo no soy Mat! ¿Y tú, quién eres?

—SOY LOLA, MAT.
—NO. ESPERA, LO SÉ: ¡ERES MI ENEMIGA!
—¡QUÉ TONTERÍA! SOY YO, MAT,
TU AMIGA LOLA... PERO ¿POR QUÉ
SACAS UN PARAGUAS?

—Soy Lola, Mat.
—No. Espera, lo sé: ¡eres mi enemiga!
—¡Qué tontería! Soy yo, Mat,
tu amiga Lola... Pero ¿por qué
sacas un paraguas?

—NO ES UN PARAGUAS, ES MI ARMA
PARA DERROTAR A LOS MALOS.
¿QUIERES PELEA? ¡ES LA GUERRA!
—¡NO, NO QUIERO PELEA!
SUELTA, MAT... ¡QUÉ LÍO!

—No es un paraguas, es mi arma
para derrotar a los malos.
¿Quieres pelea? ¡Es la guerra!
—¡No, no quiero pelea!
Suelta, Mat... ¡Qué lío!

LOLA, ASUSTADA, PIDE SOCORRO:
—¡HADA LISA, HADA LISA!
¡CORRE, ESTOY EN UN APURO!
EL HADA LISA ACUDE EN SU MOTO.
APARCA Y SE QUITA EL CASCO.

Lola, asustada, pide socorro:
—¡Hada Lisa, hada Lisa!
¡Corre, estoy en un apuro!
El hada Lisa acude en su moto.
Aparca y se quita el casco.

—¿QUÉ PASA, LOLA?
—ES MI AMIGO MAT. ¡QUÉ HORROR!
PIENSA QUE ES UN HÉROE CON
SUPERPODERES. ¡QUIERE ATACARME!

—¿Qué pasa, Lola?
—Es mi amigo Mat. ¡Qué horror!
Piensa que es un héroe con
superpoderes. ¡Quiere atacarme!

—UN CASO CURIOSO... SÍ, ES LO
QUE ME TEMÍA. SE HA CAÍDO
Y SE HA DADO UN GOLPE.
MIRA, TIENE UN CHICHÓN.

—Un caso curioso... Sí, es lo
que me temía. Se ha caído
y se ha dado un golpe.
Mira, tiene un chichón.

—¿Y POR QUÉ PIENSA QUE ES SUPERGATO?
—HA PERDIDO LA MEMORIA POR CULPA
DEL GOLPE. TIENE QUE RECUPERARLA.
—¿PUEDES CURARLO, HADA LISA?

—¿Y por qué piensa que es Supergato?
—Ha perdido la memoria por culpa
del golpe. Tiene que recuperarla.
—¿Puedes curarlo, hada Lisa?

—POR SUERTE, TENGO AQUÍ UNA
GOMINOLA CON PODERES. LE HARÁ
RECUPERAR SUS RECUERDOS.
—TÓMATE LA GOMINOLA, MAT —LE PIDE LOLA.

—Por suerte, tengo aquí una
gominola con poderes. Le hará
recuperar sus recuerdos.
—Tómate la gominola, Mat —le pide Lola.

—NO QUIERO. ¡Y NO SOY MAT!,
REPITO —CONTESTA MAT FURIOSO.
—TÓMATE LA GOMINOLA,
SUPERGATO —LE PIDE EL HADA LISA.

—No quiero. ¡Y no soy Mat!,
repito —contesta Mat furioso.
—Tómate la gominola,
Supergato —le pide el hada Lisa.

MAT DUDA, PERO AL FINAL SE TOMA LA GOMINOLA. SU CARA SE PONE MARRÓN Y DESPUÉS MORADA. LUEGO RECUPERA SU COLOR.

Mat duda, pero al final se toma la gominola. Su cara se pone marrón y después morada. Luego recupera su color.

—¿QUÉ HA PASADO? ME SIENTO RARO...
¿Y POR QUÉ TENGO UN PARAGUAS? ¡HAY SOL!
—TE LO CUENTO MÁS TARDE, MAT —SUSPIRA
LOLA—. AHORA, ¿QUÉ TAL SI MERENDAMOS?

—¿Qué ha pasado? Me siento raro...
¿Y por qué tengo un paraguas? ¡Hay sol!
—Te lo cuento más tarde, Mat —suspira
Lola—. Ahora, ¿qué tal si merendamos?

—¡ESTUPENDO, CHICOS! TENGO EN MI MOTO
UNA TARTA DE CHOCOLATE Y MORAS...
¿TE GUSTA LA TARTA, MAT?

—¡Estupendo, chicos! Tengo en mi moto
una tarta de chocolate y moras...
¿Te gusta la tarta, Mat?

—¡ME ENCANTA! —CONTESTA MAT—.
PERO ¿NO ESTARÁ ENCANTADA?
LOLA Y EL HADA LISA SE RÍEN:
—¡NO, MAT, ES UNA TARTA NORMAL!

—¡Me encanta! —contesta Mat—.
Pero ¿no estará encantada?
Lola y el hada Lisa se ríen:
—¡No, Mat, es una tarta normal!

# CÓMO USAR LA COLECCIÓN

## GUÍA PARA PADRES Y EDUCADORES

**PEQUEPIZCA** es una colección pensada para los niños que se están iniciando en la lectura. La introducción progresiva y acumulativa de los fonemas del español hará que se vayan familiarizando poco a poco con la ortografía de nuestra lengua. Al mismo tiempo, sus divertidas historias e ilustraciones facilitarán de un modo natural el hábito lector.

Si el niño está todavía aprendiendo a leer, es conveniente seguir los títulos de la colección por orden, empezando por el nivel más sencillo para ir progresando. Si el niño ya conoce todos los fonemas, los libros pueden leerse en cualquier orden, aunque sin olvidar los distintos niveles de dificultad.

A la hora de ayudar a un niño a iniciarse en la lectura, hay que tener en cuenta:

- El método de lectoescritura que están utilizando en el colegio. Si ha aprendido primero las mayúsculas, debemos animarle a que empiece leyendo los textos en mayúsculas. Si ha empezado por las minúsculas, es preferible que empiece con los textos con letra manuscrita.

- Algunos niños aprenden fácilmente a relacionar los sonidos con las letras, mientras que otros tienen un estilo de aprendizaje más visual y tienden a reconocer palabras enteras. Sea cual sea su forma de aprender, debemos respetarlo y animarlo en su progreso.

- Por último, si el niño se fija primero en la ilustración, la comenta y «se inventa» el texto, no debemos regañarle, sino animarle a comparar lo que él ha dicho con lo que realmente pone en el libro. Fomentar la lectura interpretativa es bueno.

Leamos con él, respetando su ritmo, escuchándole y ofreciéndole nuestra ayuda si la requiere. Hagamos de la LECTURA una experiencia placentera para que poco a poco se convierta en un hábito.